Cearc an Phrompa

Colmán Ó Raghallaigh agus Annie West

Do Liz Morris

Do Trevor Scott A.W.

Bhí Cearc an Phrompa sa choill lá.
Go tobann thit cnó anuas de chrann agus bhuail sé sa droim í.
"Gú-ác, ác-ác-ác!" arsa Cearc an Phrompa,
"tá an spéir ag titim!"
Bhí eagla an domhain uirthi.

Rith sí amach as an gcoill.
Chas an Coileach uirthi.
"Tá an spéir ag titim!" ar sise.
"Cén chaoi a bhfuil a fhios agat?" arsa an Coileach.
"Mé féin a chonaic é, mé féin a chuala é,
agus ar mo dhroim féin a thit sé."
"Cuc-a-diú-dil-ú! Is olc an scéal é sin," arsa an Coileach.

Rith an Coileach go dtí an Ghé.

"Ar chuala tú an scéal?" arsa an Coileach.

"Cén scéal é sin?" arsa an Ghé.

"Tá an spéir ag titim!" arsa an Coileach.

"Ó gé-gé-gé! Is olc an scéal é sin," arsa an Ghé.

Rith an Ghé go dtí an Mhuc.
“Ar chuala tú an scéal?” arsa an Ghé.
“Cén scéal é sin?” arsa an Mhuc.
“Tá an spéir ag titim!” arsa an Ghé.
“U-hu-hu! Is olc an scéal é sin,” arsa an Mhuc
agus rith sí go dtí an tAsal.

“Ar chuala tú an scéal?” arsa an Mhuc leis an Asal.

“Cén scéal é sin?” arsa an tAsal.

“Tá an spéir ag titim!” arsa an Mhuc.

“ Á-í-á-í-á!” arsa an tAsal.

“Tá an spéir ag titim! Is olc an scéal é sin.”

Rith an tAsal go dtí an Gabhar.
"Ar chuala tú an scéal?" ar seisean leis an nGabhar.
"Cén scéal é sin?" arsa an Gabhar.
"Tá an spéir ag titim!" arsa an tAsal.
" Mé-é-é-é!" arsa an Gabhar.
"Tá an spéir ag titim! Is olc an scéal é sin."

Rith an Gabhar go dtí an Chaora leis an scéal.

Rith an Chaora go dtí an Madra leis.

Rith an Madra go dtí an Bhó.

Rith an Bhó go dtí an Capall.

Chuala an Mheaig ag caint iad agus chuaigh sí in airde ar chrann agus d'inis sí an scéal don saol mór. Bhí Cearc an Phrompa an-sásta léi féin. Bhí na hainmhithe go léir ag teacht chun cainte léi.

"Cliuc! Cliuc! Cliuc!" ar sise, "mé féin a chonaic é, mé féin a chuala é, agus ar mo dhroim féin a thit sé."

Bhí imní an-mhór ar na hainmhithe.
Chuaigh siad go léir go dtí an Leon leis an scéal.
Bhí an Leon ina chodladh ach lig an tAsal scairt as agus dhúisigh é.
"Tá an spéir ag titim, a Rí!" arsa an tAsal.
"An bhfuil anois?" a deir an Leon.
"Agus cé a dúirt é sin leat?"

"An Capall a d'inis domsa é," arsa an Mheaig.

"An Bhó a d'inis domsa é," arsa an Capall.

"An Madra a d'inis domsa é," arsa an Bhó.

"Chuala mise ón nGabhar é," arsa an Chaora.

"Agus mise ón Asal é."

"Agus mise ón Muc."

"Agus mise ón nGé."

"Agus mise ón gCoileach."

"Agus Cearc an Phrompa a d'inis an scéal domsa," arsa an Coileach.

D’fhéach an Leon ar Chearc an Phrompa.
“Cár thit an spéir ort?” arsa an Leon.
“Sa choill mhór cnó,” arsa Cearc an Phrompa.
“Mé féin a chonaic é, mé féin a chuala é,
agus ar mo dhroim féin a thit sé.”
“An ndeir tú liom é?” arsa an Leon.
“Beir go dtí an áit sinn, más ea.”
Agus chuaigh siad go léir go dtí an áit ar thit an spéir ann.

D'fhéach siad anseo agus d'fhéach siad ansiúd...
ach ní raibh rud ar bith ann ach an cnó.
D'fhéach an Coileach ar an gcnó.
D'fhéach an Ghé air.
D'fhéach an Mhuc air, agus an tAsal, agus an Gabhar,
agus an Chaora, agus an Madra, agus an Bhó,
agus an Capall, agus an Mheaig agus ar deireadh...
d'fhéach an Leon air.

Chas siad ansin agus rinne siad gáire mór faoi Chearc an Phrompa.

D'oscail an Leon a bhéal mór.

"Ááááárrgh!" ar seisean.

"Gú-ác, ác-ác-ác!" arsa Cearc an Phrompa leis an scanradh,

agus thug sí na cosa léi.

Bhí náire an domhain ar Chearc an Phrompa.

"Gú-ác, ác-ác-ác!" ar sise.

Rith sí go dtí cró na gcearc agus chuaigh sí i bhfolach ann

ar feadh seachtaine.

Agus ní dheachaigh sí isteach sa choill mhór cnó

go brách arís ina dhiaidh sin!

Foilsithe ag Cló Mhaigh Eo,
Clár Chlainne Mhuiris,
Co. Mhaigh Eo,
Éire.
www.leabhar.com
094-9371744

ISBN 1 8999 22 23 7

Dearadh: raydes@iol.ie
Clóbhuailte in Éirinn ag Clódóirí Lurgan Teo.

Buíochas le Ray McDonnell.

Faigheann Cló Mhaigh Eo cabhair ó Bhord na Leabhar Gaeilge.